ᐅᖃᐅᓰᑦ ᓇᓗᓇᐃᖅᓯᔪᑦ
UQAUSIIT NALUNAIQSIJUT
WORDS THAT DESCRIBE

ᑎᑎᖅᑐᒐᖅᑐᖅ
ᐊᒫᓐᑕ ᓵᓐᑦᓚᓐᑦ

TITIQTUGAQTUQ ILLUSTRATED BY
Amanda Sandland

ᖃᖕᒐᑕᓲᖅ ᐊᖕᒋᔪᖅ.

Qangatasuuq angijuq.

The airplane is big.

ᖁᐸᓄᐊᖅ ᒥᑭᑦᑐᖅ.

Qupanuaq mikittuq.

The bird is small.

ᑎᕆᒐᓂᐊᖅ ᒥᖅᑯᓕᒃ.

Tiriganiaq miqqulik.

The fox is furry.

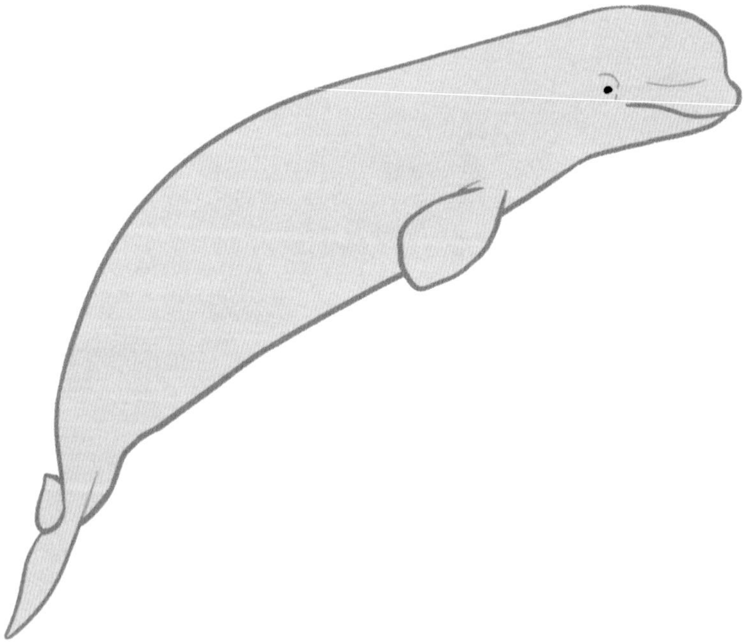

ᕿᓚᓗᒐᖅ ᖃᐃᕋᑦᑐᖅ.

Qilalugaq qairattuq.

The beluga is smooth.

ᑲᒦᒃ ᓂᕈᒥᑦᑑᒃ.

Kamiik nirumittuuk.

The kamiik are soft.

ᓂᐊᖅᑯᐊᔾᔭᐃᒃᑯᑎ ᑎᓯᔪᖅ.

Niaqquajjaikkuti tisijuq.

The helmet is hard.